人应该每天读首好诗，听首好歌，看幅好画，
如果可能，说几句合情合理的话。

诗 与 远 方 系 列

▲

读读诗，日子会变得漂亮些

莎士比亚 拜伦 徐志摩 等著

时代出版传媒股份有限公司
北京时代华文书局

图书在版编目（CIP）数据

读读诗，日子会变得漂亮些 / (英) 莎士比亚等著；
方圃译 . -- 北京 : 北京时代华文书局 , 2016.5
ISBN 978-7-5699-0916-6

Ⅰ . ①读… Ⅱ . ①莎… ②方… Ⅲ . ①诗集－世界 Ⅳ . ① I12

中国版本图书馆 CIP 数据核字 (2016) 第 099633 号

读读诗，日子会变得漂亮些

著　　者 | ［英］莎士比亚等
译　　者 | 方　圃

出 版 人 | 杨红卫
选题策划 | 陈丽杰
责任编辑 | 陈丽杰　骆礼波
装帧设计 | 龙　梅　段文辉
责任印制 | 刘　银　訾　敬

出版发行 | 时代出版传媒股份有限公司 http: //www.press-mart.com
北京时代华文书局 http: //www.bjsdsj.com.cn
北京市东城区安定门外大街136号皇城国际大厦A座8楼
邮编：100011　电话：010－64267955　64267677
印　　刷 | 北京富诚彩色印刷有限公司　010 - 60904806
（如发现印装质量问题，请与印刷厂联系调换）
开　　本 | 880mm×1230mm　1/32
印　　张 | 7.5
字　　数 | 250 千字
版　　次 | 2016 年 7 月第 1 版　　2018 年 7 月第 2 次印刷
书　　号 | ISBN 978-7-5699-0916-6

定　　价 | 36. 00 元

目录

CONTENTS

一 而这一切又有什么意义，如果，你不吻我？

四
我是天空里的一片云，偶尔投影在你的波心

五
我和一株顶高的树并排立着，却没有靠着

六
醉过才知酒浓，爱过才知情重

一

而这一切又有什么意义，如果，你不吻我？

你和我之间，爱情变得淡薄，冷静又纯洁，犹如透明的空气，犹如清澈的流水。

你的笑声，让我的心飞旋

萨福

和你坐在一起，我恍如神仙。
我如此欢喜，因为和你交谈。
你的笑声，让我的心飞旋。
你的嘴唇，让我的声音封缄。
我的舌停顿了，因为火的暖，
溜过我的皮肤。
我把眼睛封住，我把耳朵塞满，
我浑身流汗，身体震颤，
我无比苍白，比草叶还要弱软，
我呼吸即将停滞，
我来到死亡面前。

既然我看见了你的微笑与眼泪

雨果

既然我的唇放在了你永远不空的酒樽，
既然我苍白的额头贴近你的手，
既然我偶尔呼吸到了你安静的灵魂，
一种隐藏着的芳芬。

既然我偶尔从你的话语里听到，
听到你漫步时幽闭的心，
既然我看见了你的微笑与眼泪，
既然我的眼睛在你的眼睛里，既然我的唇吻着你的唇。

既然我看到你犹如在我头顶闪耀的星辰，

既然你总是隐藏，难以索引，
既然我看到你犹如一瓣花从年华之上坠落，
飘进我的波心。

现在我终于可以对时光宣告，
消逝吧，消逝吧，我永远拥有青春，
你与你憔悴的花儿一起消逝吧，
我心里有朵花永远摘不掉。

我已经盛满了我的心，
你纵使飞过，也激不起一点水纹，
你的灰烬不会熄灭我的火灵，
你的遗忘不会吞没我的爱情。

我是否真的失去了你？

歌德

我是否真的失去了你？
我的恋人，你是否真的一去不回？
但何以你的声音，你的软语，
依旧在我身边徘徊。

就仿佛是清晨行人的眼眸，
枉然地对着虚空探寻，
就像是枉然地听到云雀，
躲在云朵后面唱鸣。

我的眼眸如此的惊惶，
扫向丛莽，树林和原野，
我用我所有的歌声，唤你，
我的恋人，请你归来！

我的爱情并不是一只夜莺

裴多菲

我的爱情不会像一只夜莺，
在黎明时醒来，
在太阳照耀下的地上，
曼妙地歌唱。

我的爱情不会像是可爱的林园，
宁湖上浮着白鸽，
想着水里的月光，
点着它雪白的头颈。

我的爱情也不会是安乐的家，
犹如一个花园，安静和平，
里面是幸福，犹如住着母亲，
有仙女诞生，美丽欢欣。

我的爱情只能是荒凉的森林，

充满嫉妒，犹如强盗，
拿着剑，是绝望，
每一次出击都将带来死亡。

我甘愿是急流

裴多菲

我甘愿为急流，
犹如山间的小河，
经过崎岖的道路，
经过狰狞的岩石。
只要我之恋人，
是我浪花里的小鱼，
在其间嬉戏。

我甘愿为荒凉的树林，
占据河流两岸，
迎战狂风阵阵。
只要我之恋人，
是我树枝间的鸟儿，
在其间栖息，欢唱。

我甘愿为废墟，

耸立在陡峭的悬崖，
永恒的寂静并不会使我沮丧。
只要我之恋人，
是沿着我荒芜的额攀援的常春藤，
与我紧密相依。

我甘愿为草屋，
伏卧于谷底，
让狂风暴雨尽情打击我的屋顶。
只要我之恋人，
是我炉子里的火焰，
在其间缓缓闪现。

我甘愿为云朵，
是灰色的破残的旗帜，
懒懒地飘荡在广漠的空中。
只要我之恋人，
是映在我苍白的脸上的夕阳，
犹如珊瑚，发出绚烂的辉煌。

我曾温柔地，真诚地爱过你

普希金

我曾爱过你，爱情也许
依然留存在我心中。
但已不会打扰到你，
我并不想你再次悲伤。
我曾沉默地，绝望地爱过你，
我曾羞怯地，嫉妒地爱过你，
我曾温柔地，真诚地爱过你，
我只愿上帝保佑你，另一个人也会像我一样爱你。

我们已经分离，但你的影子还徘徊在我心里

莱蒙托夫

我们已经分离，但你的影子
还徘徊在我心里，
如同最好年华的痕迹，
轻快地扫走我抑郁的心事。

我又重获了热情，
想要不爱，却无能为力，
正如破落的殿堂，依然有着故事。

从童话到童话

茨维塔耶娃

一切归于你，期待着奇迹，
四月所有的忧伤，
急切地飞向天空。
可是，理性何用？
死亡降临，我仍然是一个小女孩，
至少是你的小女孩。

亲爱的，在这个冬天的黄昏，
请你和我在一起，像是一个小男孩。
请不要打断我的惊奇，
像一个什么都不知道的小男孩，
让我在玄奥的宇宙里，依然做一个小女孩，
哪怕我已经成了你的妻子。

没有人能够拿走任何东西

茨维塔耶娃

没有人可以拿走任何东西，
遥远的距离也让我感到甜蜜，
我的吻可以穿越数百公里，
然后吻到你的唇上。

我知道：我们的天赋并不平等。
我的声音第一次这么平静，
我拙劣的诗歌，在你面前是那么无足轻重，
年轻的杰尔查文。

我画着十字，因为你将开始恐怖的飞行。
“飞吧，年轻的雄鹰。”
你忍受着阳光的刺激，却睁着眼睛，
我年轻的目光是否让你感动沉重？

再没有人会如此温柔深情地——

目送你，
穿越数百里的距离，
我的吻落在你的唇上。

我们走了很远很远，但我们不会道别

阿赫玛托娃

我们不会道别——
并肩走了很远很远，
已然是黄昏，
你却沉思，我却沉默。

我们走进教堂，看见，
祈祷、洗礼、婚娶，
我们又默然走了出来，不敢相望，
为何我们没有这么做？

我们来到了墓地，
坐在雪地上轻轻叹息，
你用木棍画着宫殿，
我们以后永远住在这里。

于是我不禁为你的容颜而伤感

威廉·莎士比亚

当我数着壁上报时的自鸣钟，
就看见白夜坠入了黑夜，
当我凝视着紫罗兰老去，
一头青丝就落满了白雪。
当我看见树木枯萎，
想着它夏天时还给牛羊庇荫。
夏天的青翠逐渐消逝了，
终究带着白须被抬到了殓床。
于是我不禁为你的容颜而伤感，
终有一天你也将被时光摧残。
美丽的事物都把自己抛弃了，
只能看着别人生长而自己枯萎。
没有什么能抵挡时光的力量，
除了生育。
时光终究将把你摧残。

我怎么能把你比作夏天?

威廉·莎士比亚

我怎么能把你比作夏天?
你比夏天更为温婉。
五月的花蕊被狂风吹残,
夏天总是太短太短。
太阳是那么酷烈,
但也会被云朵遮掩。
被无常的世事所摧折,
再也没有芳艳,直至凋残。
但是你的长夏永远不会结束,
你的红芳也不会损失。
当死神说你在死亡的影子里徘徊,
你却在不朽的诗里与时间一样永恒。
只要人类存在,只要人还有眼睛,
这首诗就将永远存在,并且带给你永恒。

我看见，那欢悦以及哀伤的岁月

勃朗宁夫人

我想起，昔日希腊诗人的歌咏，
年年往复，在人们殷勤的盼望中
一个美好的日子终于降临，各自带着礼物
赐给世人，不论老少。
当我忆及，就在诗人的诗行里沉醉了，
幻觉穿越我的泪眼缓缓展开，
我看见，那欢悦以及哀伤的岁月，
我的年华，连接着无数的黑影，在我身边飞掠。
然后，我就察觉（我开始哭泣）到有个神秘的黑影
在我背后移动。一下子抓住了我的头发，
在往后拉的时候问我（我只能挣扎）：
“猜这次是谁逮住了你？”我回答：“死。”
但那银铃样的声音说：“非是死，是爱！”

命运让我们分离，却将你的心留在了我心里

勃朗宁夫人

你走吧，不要眷恋我。
可是我又知道——
从此你将在我生命里生根。
在那孤独的生命边缘，
我再不能控制我的灵魂，
也不能坦然地像以前那样将手伸向日光，
也不能再约束自己感到你的指尖碰上我的掌心。
命运让我们分离，
却将你的心留在了我心里。
犹如是酒，依然有葡萄的痕迹。
无论我醒来还是入眠，你都在其中。
当我为了自己向上帝祈祷，
他却从我的嘴里听到了你的名字，
他却在我的眼睛里，看到了两个人的眼泪。

我爱你，以我终生的呼吸，微笑和眼泪

勃朗宁夫人

我是如何爱你的？让我仔细核算。
我尽我心灵所能触及的深度、广度以及高度来爱你。
正如我努力地在宇宙中寻求上帝的存在以及上帝的恩典。
我爱你就犹如需要日光和烛焰，每天都不能离开。
我不假思索地爱你，就犹如勇士们为正义而奋斗。
我纯洁地爱你，
就犹如他们在赞美面前羞赧地低下了头。
我爱你，以我幼时的信仰；
我爱你，以我满怀的热情，
就犹如往昔满腔的悲伤；
我爱你，等同于随着圣人消逝而消逝的爱情；
我爱你，以我终生的呼吸，微笑和眼泪。
假如这一切都是上帝的安排，
那么，我生前爱你，死后亦爱你。

当你的眼睛第一次看向我时，我们的命运就注定了

哈代

这是最后的情话，的确是的，
从此后，一切都归于沉寂，
只有苍白的裹尸布笼罩着往昔。
彼时，爱情对我并没有任何价值。
我不能再说，我说的已经够多，
我不是说这一天一定会来临，
我只是不知道它会这么强大。
也或者我当时并不明白，
当你的眼睛第一次看向我时，
我们的命运就注定了。

我们的气息从彼此的身体里发出

艾略特

跳跃着的欢乐归于你，
它让我们更加灵敏，在我们醒时。
它有着帝王的节奏，
让我们的睡眠更加安宁，
我们的呼吸合二为一。
我们的气息从彼此的身体里发出，
犹如我们的思想并不需要语言沟通，
犹如我们说出同样的话语却不需要相同的意义。
无情的严冬寒风不能够冻僵，
酷热的赤道太阳也不会让它枯死，
它是我们的并且是只属于我们的——
玫瑰园中的玫瑰。
别人也将读到这篇情诗，
但是只有你知道我的隐衷。

我们走吧，穿过一些半清冷的街

艾略特

那么我们走吧，你我两个人，
正当朝天空慢慢铺展着黄昏
好似病人麻醉在手术桌上；
我们走吧，穿过一些半清冷的街，
那儿休憩的场所正人声喋喋；
有夜夜不宁的下等歇夜旅店
和满地蚌壳的铺锯末的饭馆；
街连着街，好像一场讨厌的争议
带着阴险的意图
要把你引向一个重大的问题。
唉，不要问，“那是什么？”
让我们快点去作客。
在客厅里女士们来回地走，
谈着画家米开朗琪罗。
黄色的雾在窗玻璃上擦着它的背，
黄色的烟在窗玻璃上擦着它的嘴，

把它的舌头舐进黄昏的角落，
徘徊在快要干涸的水坑上；
让跌下烟囱的烟灰落上它的背，
它溜下台阶，忽地纵身跳跃，
看到这是一个温柔的十月的夜，
于是便在房子附近蜷伏起来安睡。
呵，确实地，总会有时间
看黄色的烟沿着街滑行，
在窗玻璃上擦着它的背；
总会有时间，总会有时间
装一副面容去会见你去见的脸；
总会有时间去暗杀和创新，
总会有时间让举起问题又丢进你盘里的
双手完成劳作与度过时日；
有的是时间，无论你，无论我，
还有的是时间犹豫一百遍，
或看到一百种幻景再完全改过，
在吃一片烤面包和饮茶以前。
在客厅里女士们来回地走，
谈着画家米开朗琪罗。
呵，确实地，总还有时间
来疑问，“我可有勇气？”“我可有勇气？”
总还有时间来转身走下楼梯，
把一块秃顶暴露给人去注意——
（她们会说：“他的头发变得多么稀！”）

我的晨礼服，我的硬领在腭下笔挺，
我的领带雅致而多彩，用一个简朴的别针固定——
（她们会说：“可是他的胳膊腿多么细！”）
我可有勇气
搅乱这个宇宙？
在一分钟里总还有时间
决定和变卦，过一分钟再变回头。
因为我已经熟悉了她们，熟悉了她们所有的人——
熟悉了那些黄昏，和上下午的情景，
我是用咖啡匙子量走了我的生命；
我熟悉每当隔壁响起了音乐
话声就逐渐低微而至停歇。
所以我怎么敢开口？
而且我已熟悉那些眼睛，熟悉了她们所有的眼睛——
那些眼睛能用一句成语的公式把你盯住，
当我被公式化了，在别针下趴伏，
那我怎么能开始吐出
我的生活和习惯的全部剩烟头？
我又怎么敢开口？
而且我已经熟悉了那些胳膊，熟悉了她们所有的胳膊——
那些胳膊带着镯子，又袒露又白净

（可是在灯光下，显得淡褐色毛茸茸！）
是否由于衣裙的香气
使得我这样话离本题？
那些胳膊或围着肩巾，或横在案头。
那时候我该开口吗？
可是我怎么开始？
是否我说，我在黄昏时走过窄小的街，
看到孤独的男子只穿着衬衫
倚在窗口，烟斗里冒着袅袅的烟？
那我就会成为一对蟹螯
急急爬过沉默的海底。
啊，那下午，那黄昏，睡得多平静！
被纤长的手指轻轻抚爱，
睡了·倦慵的·或者它装病，
躺在地板上，就在你我脚边伸开。
是否我，在用过茶、糕点和冰食以后，
有魄力把这一刻推到紧要的关头？
然而，尽管我曾哭泣和斋戒，哭泣和祈祷，
尽管我看见我的头（有一点秃了）用盘子端了进来，
我不是先知——这也不值得大惊小怪；
我曾看到我伟大的时刻闪烁，
我曾看到我的外衣暗笑，

一句话，我有点害怕。
而且，归根到底，是不是值得
当小吃、果子酱和红茶已用过，
在杯盘中间，当人们谈着你和我，
是不是值得以一个微笑
把这件事情一口啃掉，
把整个宇宙压缩成一个球，
使它滚向某个重大的问题，
说道："我是拉撒路，从冥界
来报一个信，我要告诉你们一切。"——
万一她把枕垫放在头下一倚，
说道："唉，我意思不是要谈这些；
不，我不是要谈这些。"
那么，归根到底，是不是值得，
是否值得在那许多次夕阳以后，
在庭院的散步和水淋过街道以后，
在读小说以后，在饮茶以后，在长裙拖过地板以后，——
说这些，和许多许多事情？——
要说出我想说的话绝不可能！
仿佛有幻灯把神经的图样投到幕上：
是否还值得如此难为情，
假如她放一个枕垫或掷下披肩，
把脸转向窗户，甩出一句：
那可不是我的本意，
那可绝不是我的本意。

不！我并非哈姆雷特王子，当也当不成；
我只是个侍从爵士，为王家出行，
铺排显赫的场面，或为王子出主意，
就够好的了；无非是顺手的工具，
服服帖帖，巴不得有点用途，
细致，周详，处处小心翼翼；
满口高谈阔论，但有点愚鲁；
有时候，老实说，显得近乎可笑，
有时候，几乎是个丑角。
呵，我变老了，我变老了，
我将要卷起我的长裤的裤脚。
我将把头发往后分吗？我可敢吃桃子？
我将穿上白法兰绒裤在海滩上散步。
我听见了女水妖彼此对唱着歌。
我不认为她们会为我而唱歌。
我看过她们凌驾波浪驶向大海，
梳着打回来的波浪的白发，
当狂风把海水吹得又黑又白。
我们流连于大海的宫室，
被海妖以红的和棕的海草装饰，
一旦被人声唤醒，我们就淹死。

（查良铮　译）

我只愿枕在爱人柔软的胸脯间，久久地感受它的降落与升起

济慈

明亮的星，我愿如你一般定坚——
但我不愿悬浮夜空，独自映照，
也不愿永远地睁开双眼。
我是否愿像世间最耐心的隐士，不休不眠，
凝视着海潮泛泛？
我是否愿像大地的神父，
用圣水洗涤人们居住的岸沿？
也或者注视着雪，犹如幕布，
轻盈、灿烂、温柔地覆盖着洼地和群山？
哦，不——我都不愿，
我只愿枕在爱人柔软的胸脯间，
久久地感受它的降落与升起。
当我醒来，心就被蜜甜充满，
不断地，不断地听着她细腻的呼吸，
就这样活着，——也或者这样死去。

世间一切都是如此，为何你我却彼此分离？

雪莱

泉水与江河交汇，
江河和海洋汇集，
天空中风与风融合——
在甜蜜的深情中融为一体。
所有的事物都如此，
在灵魂深处相依，
世间一切都是如此，
为何你我却彼此分离？

当看到高高的山峰吻着蓝天，
当看到波浪和波浪紧紧相拥，
没有一朵姐妹花会被宽宥，
如果竟轻视她的弟兄。
灿烂的阳光照着大地，
明亮的月光吻着海波，
而这一切又有什么意义？
如果，你不吻我？

我们将不再一起漫游

拜伦

我们将不再一起漫游
亲爱的，我们就此分别，
我们将不再一起漫游，
不再一起消磨这迷人的银夜。
尽管心仍旧缱绻，尽管月光仍旧灿烂，
但亲爱的，我们就此分别吧。
宝剑终将剑鞘磨穿，爱情终将心脏击碎，
心，即将停止，
爱，也将停歇。
尽管爱情让夜色变得温柔，
但星月终将消逝，
但白昼终将来临，
在这个月光温柔的银夜，
我们将不再一起漫游。

但一开始，爱情就将我击昏

蒙塔莱

你应该明了，我不该让自己
再次想你。
但一开始，爱情就将我击昏。
甚至每一步行动，甚至每一声哭泣，
甚至是码头上扩散出来的海盐的气息，
也将这里的春日变得阴郁。

这里布满了黑衣，插满了桅杆，
在烟尘寂然的山林，黄昏发出尖锐的声音。
犹如指甲摩擦着玻璃。
我寻找着，寻找那已经失落的唯一旗号，
我想从你心里找到那个让我解脱的誓言，
但我只找到了地狱。

当你老了

叶芝

当你老了，青丝染上霜斑，
当你睡意深深，倦坐炉边，
请你取下这本诗集，缓缓阅读，
回想当年你那温柔的眸眼以及影子的幽暖。

多少人爱你那段曼妙的时光，
以真情或假意爱着你美丽的容颜，
但只有一个人深深爱着你圣洁的灵魂，
以及你因为衰老而哀伤的脸。

当你在温暖的炉边低下头，
带着怅惘诉说爱情是怎样消逝时，
他正踽踽浪游在头顶的群山间，
将脸隐藏于注视你的繁星后面。

你和我之间，爱情变得淡薄，冷静又纯洁

希梅内斯

你和我之间，
爱情变得淡薄，冷静又纯洁，
犹如透明的空气，
犹如清澈的流水，
在天上和水中的月亮间奔涌。

你的眼睛是否是在漫游，在遥远的秋天

聂鲁达

我记得你去年秋天的神情，
你戴着灰色的贝雷帽，心情如此平静。
你的眼中闪烁着黄昏的火苗，
你的心湖静静地飘落着树叶。
你依偎在我怀里，犹如藤枝。
谁在倾听你舒缓的言语，是叶子。
篝火变得迷惘，我的渴望也在燃烧，
蓝色的风信子在我心里盘旋。
你的眼睛是否是在漫游，在遥远的秋天。
灰色的贝雷帽，呢喃的鸟语，宁静的心房，
我多么渴望飞到这些地方。
我多么欣喜地吻着这个大地，
犹如在船上仰望天空，在山岗眺望原野，
而你的回忆是一道光亮，是一片烟，是一池静静的水。
在你的眼睛里我看见有晚霞在燃烧，
在你的心灵里我看到有枯叶在飞舞。

我寂静地爱着你，犹如你已经消失

聂鲁达

我寂静地爱着你，犹如你已经消失。
你在远处将我倾听，我的声音却无法找到你。
似乎你的眼睛不再明亮，
像是一个吻住了你嘴唇的吻。
我的灵魂像是被万事万物填满，
你从万事万物中出现，将我的灵魂填满。
你和我的灵魂如此接近，像是梦里的蝴蝶，
你就像是忧郁这个字。

我寂静地爱着你，犹如你已经消失。
你的声音充满了哀怨，犹如一只蝴蝶发出鸽子似的哀鸣。
你在远处将我倾听，我的声音却无法找到你。
让我的沉默和你的沉默重合。
让我用你的沉默和你交谈，
你的沉默犹如星星般明亮，又犹如指环般简单。
你就像是拥有群星和寂静的黑夜，

你的沉默和星星的沉默一样明亮而遥远。
我寂静地爱着你，犹如你已经消失。
遥远，哀伤，似乎你已经死去，
那时，纵然一个字一个微笑也能让我足够
但现在我很幸福，因为你并没有死去。

你犹如神女的风姿，让我回到希腊的荣耀

爱伦·坡

海伦，你的容貌如此美丽，
仿佛是古老的尼塞安帆船，
飘荡在芬芳的海面，
载着疲惫的浪人，
驶往故乡的海岸。
你紫色的头发，古典的脸，
长久地在波涛汹涌的海面浮现。
你犹如神女的风姿，
让我回到希腊的荣耀，
以及古罗马的辉煌。
看吧，神龛金碧辉煌，
你却亭亭玉立，
仿佛一尊雕像，
拿着玛瑙明灯，
啊，普赛克，
你来自于神圣的地方。

但愿我是，你的夏季

狄更生

但愿我是，你的夏季，
当夏季流逝，
我依旧在你耳边响起，
就算夜莺和黄鹂都已经疲惫。
为你开花，逃出墓地，
让我的花为你盛大开放！
请你将我采撷——秋牡丹，
属于你的花——永远都是你的。

如果记住就是忘记

狄更生

如果记住就是忘记，
我将不再忆起。
如果忘记就是记住，
我已无限接近忘记。
如果思念，是嬉戏，
如果悲伤，是喜悦，
那么手指该是多么快乐，
今天，触及到了这些。

二

世界对着它的爱人，把它浩瀚的面具揭下了

秋季的花，胜于春天的草原。因为它们宣告了一种力量。

蜜甜蔷薇，知与谁归？

萨福

蜜甜蔷薇，知与何归？
蜜甜蔷薇，知与谁归？
花影消逝，如何追回？
逝去难追，逝去难追。

月亮在今夜驶入慵懒的梦

波德莱尔

月亮在今夜驶入慵懒的梦，
犹如美人躺在垫褥中，
入睡之前，温柔的手无意地
抚摸着雪胸。

绵软的缎子犹如雪崩，
月亮昏厥不知西东，
她的眼睛望向花朵盛开时，
蓝天里袅袅升起的白风。

偶尔，她懒洋洋地给地球滴下一滴眼泪，
一个无眠的虔诚的诗人，
就把这滴泛着红光的苍白眼泪收起，
放入自己冰冷的心中。

一个灰雀的轻翅，
到底惊扰了那个沉思的金色的吻

兰波

在树丛里，在金绿色的宝匣中
在树丛里，在绚烂之花朵的朦胧中
安眠着一个甜蜜的吻
突然就惊扰了一片梦

牧神惊讶地抬起双眸
皓齿间叼着红色的花茎
他那醇酒般的唇
发出了悦耳的笑声

他犹如一只松鼠般逃走了
但他的笑还在树叶上颤动
一个灰雀的轻翅
到底惊扰了那个沉思的金色的吻

蔷薇，蔷薇，红蔷薇，你孤零零地长在野外

歌德

少年目睹一朵长在野外的蔷薇，
如此娇艳，
少年走向前，
看得喜欢。
蔷薇，蔷薇，红蔷薇，
你孤零零地长在野外。
“让我将你采撷吧。”
蔷薇说：“我要刺你，
让你永远记得，
我不愿被你采撷。”
蔷薇，蔷薇，红蔷薇，
你孤零零地长在野外，
少年野蛮地将你采撷，
空有满枝的刺，
终究还是被采折。
蔷薇，蔷薇，红蔷薇，
你孤零零地长在野外。

在汤汤的湖水上

密茨凯维奇

在汤汤的湖水上，
山岩庄严
透明的湖水倒映着这些山岩，
映入了我的眼帘。

在汤汤的湖水上，
漂浮在暗云，孕育着暴风雨，
透明的湖水
倒映着这些暗云的影子。

在汤汤的湖水上，
闪耀着骇人的电光，
透明的湖水映出了闪光，
且把雷声隐藏。

汤汤的湖，这岸到彼岸，

又如以前那么明亮，
此时我的灵魂和湖水融为一体，
整个世界的敬礼都在湖中显现——
崎岖的山岩，尊严的峰顶，
以及立刻就沉默的闪电。

山岩站立于轻蔑，
乌云裹挟着骤雨、闪电过去了，
飞向沉默，
一如我平静的一生也这么流逝！

秋日的花

普希金

秋季的花，
胜于春天的草原。
因为它们宣告了一种力量——
强烈的，虽然充满悲伤，
犹如离别的心痛，
比遇见时的欣喜更加深刻。

我喜爱秋天，犹如喜爱悲伤的目光

屠格涅夫

我喜爱秋天，犹如喜爱悲伤的目光，
寂静的起着雾气的日子里，
我时常步入树林，安坐在那里——
凝望着白色的天空
和那黑色的松尖。
我爱嚼着酸味的叶子，
躺在草地上，带着懒散的微笑，
凝听啄木鸟的叫声，
脑海里布满新奇的想象——
当青草全部枯萎时，
它的上面将浮现一层寒冷的光亮。
那时我的心将整个沉浸于
幸福和自由的悲伤。
我想起了所有，
我抵达了所有幻想的边际。
松树犹如活人一样弯下腰来，

在沉思中发出喧响，
于是，突然刮过一阵风，
犹如一群飞鸟，
在交错和暗黑的树枝间，
不耐烦地喧嚣着。

她漫步在美丽的光彩中

拜伦

她漫步在美丽的光彩中，
犹如没有云而繁星满天的夜晚。
她的容颜和眼波映出——
明与暗的绝妙色彩。
白天时，阳光过于耀目，
它要比那光亮更为柔婉。

不要增加或减少一分明暗，
这都会将这美好损害，
美流动于她的乌发，
散布着淡淡的光，
她的脸庞，她柔静的思绪，
显示出它来自于纯洁珍贵之处。

呵，那额际，那鲜艳的面颊，
温和，宁静，又脉脉温情，
微笑，明艳的容颜，
都在轻语善良的生命。
她的智慧与世界和谐，
她的心灵与爱情偎依。

我看过你哭

拜伦

我看过你哭，
你蔚蓝的眼睛涌上明亮的泪珠，
彼时，多如一朵紫罗兰的清露。
我看过你笑，
纵使蓝宝石的火焰，
在你面前也黯然。
你的一瞥间，
宝石也失去了色彩。

彷如远方的太阳给乌云染上绚烂的色彩，
纵使黄昏的黑暗，
也不能将它放逐。
你的微笑，驱走了我脑中的阴沉，
给它灌注了欢乐。
你的容光犹如太阳，
在我心里照耀。

秋颂

济慈

一

雾气弥漫的季节，果实成熟了，
你与催促果实成熟的太阳友谊深厚；
和他商量怎么样负载和祝福。
教屋檐下的葡萄丰收，
教苹果压弯树枝。
教果子完全成熟，
教葫芦硕大，
教榛子装满甘甜的果仁。
教迟开的花朵不断开放，
教蜜蜂来临，并让它们以为暖和的日子常在。
让夏天犹如溢出蜂巢的蜜糖那么甜。

二

谁不曾将你看见，你经常在谷仓流连？
不管谁出门去找，都看见你散漫地坐在麦场。

吹起谷物的风也吹起你的头发，
你或者在尚未收割完的稻田里睡眠。
罂粟花香气醉人，你的镰刀休息了，
任由庄稼和野花嬉戏。
有时，你也像拾稻穗的人一样跨过溪水，
头安安稳稳地顶着谷袋。
或者依靠在榨汁机边，耐心地等待着，
任由时光飞逝，知道最后一滴果浆落下。

三

春歌在何处？春歌去了何处？
别为它们过于相思，你也有自己的音乐——
当即将消逝的天空被彩霞装点，
当广袤的麦茬地被玫瑰色占满，
此时，群群的飞虫一起哀鸣，
和风一起飘过河边的柳树，
低声盘旋，高高低低，起伏明灭；
蟋蟀在篱笆墙下歌唱，
红胸的知更鸟在菜园高唱；
羊圈里的羊群在高叫；
群燕却在空中低声呢喃。

因为爱人在身边

安徒生

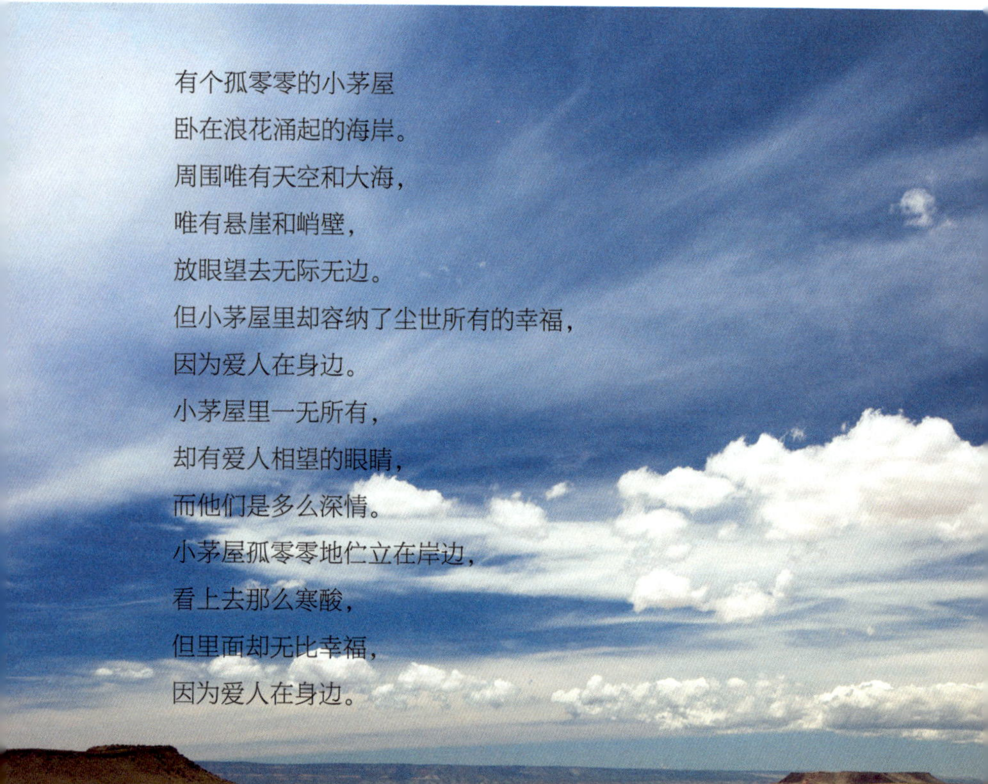

有个孤零零的小茅屋
卧在浪花涌起的海岸。
周围唯有天空和大海，
唯有悬崖和峭壁，
放眼望去无际无边。
但小茅屋里却容纳了尘世所有的幸福，
因为爱人在身边。
小茅屋里一无所有，
却有爱人相望的眼睛，
而他们是多么深情。
小茅屋孤零零地伫立在岸边，
看上去那么寒酸，
但里面却无比幸福，
因为爱人在身边。

在她的记忆中，她的魅力永存

塞尔努达

如翅般轻盈，如水般温润，
在耳边低语。
她绛紫色的光彩，使人回忆起，
一串被翠绿叶壳包藏的草木珍珠。
这是三月的温柔呼唤，
犹如魔术般在温暖的空气产生的翅翼。

脆弱，诚恳，
微微笑着，吸引着人。
仿佛一个笑从唇里迸出。
她态度优雅，从不欺骗，
她应允后从不变心。

在死亡的征途上，
她那么纤弱，但却坚持许久。
时间灌注进她的花瓣，有一瞬间

她获得了生命短暂的美。

在她的记忆中，她的魅力永存，

这谁也无法更改。

五月的海风刺穿我们的孤独

爱默生

有人问，花来自哪里，
五月的海风刺穿我们的孤独，
我在林间驻足，因为凝视一丛杜鹃，
五叶的花朵在潮湿的角落盛开，
爱意流泻到荒野以及缓缓的溪流。
飘坠在池塘的紫色花瓣，
给幽暗的水面增添了几分明媚，
红雀也许会来这里梳理羽翼，
纵使花朵让它自惭形秽。
杜鹃啊，如果智者问你，为什么要将如斯美景
留给不会欣赏的天空与大地，
请回答他们，如果神造眼睛是为了看，
那么美就是自己存在的缘故。
你为何在这里，如玫瑰般迷人的花？
我从未想问你，也并不知道答案，
但是，纵然我无知，但我也知道，
是引领我前来的那种力量引领你来到人间。

犹如你的一个吻，曾吻在我的嘴唇

雪莱

花朵消散了芬芳，
犹如你的一个吻，曾吻在我的嘴唇。
花朵也凋残了色彩，
只有你在时，她才能重新鲜妍。
形骸干瘪，毫无生气，
在我孤独的胸间徘徊，
它以枯寂的神情，
嘲讽着我尚还火热的心。
我哭泣，但我的眼泪不能教它复生，
我叹息，但它再不会对我吐出芳馨。
它那静默的哀愁的命运，
是否是我即将走上的道路？

在鲜绿的清晨，我愿意做一颗心

洛尔加

在鲜绿的清晨，
我愿意做一颗心。
一颗心。

在成熟的夜晚，
我愿意做一只黄莺。
一只黄莺。

（灵魂啊，
披上橙子的颜色。
灵魂啊，

披上爱情的颜色。）

在活泼的清晨，
我愿意做我。
一颗心。

在沉寂的夜晚，
我愿意做我的声音。
一只黄莺。

灵魂啊，
披上橙子的颜色吧！
灵魂啊，
披上爱情的颜色吧！

（戴望舒　译）

没有一朵花是愉悦的

狄更生

没有一朵花是愉悦的，
是那么地惊诧，
寒霜让它们凋败，
权利只是玩了一个游戏，
金色的杀手没有表情。
但太阳已经在天空穿行，
为允许这一切的上帝，
度量着另一个日子。

在地铁车站

庞德

在人群中有几张脸如幻影般闪现，
湿漉漉的黑色树枝上有数点花瓣。

它们没有什么可唱，只叹息一声

泰戈尔

夏天的飞鸟
飞到我的窗前唱歌
又飞去了。
秋天的黄叶
它们没有什么可唱
只叹息一声
飞落在那里。

（郑振铎　译）

永恒的接吻

泰戈尔

世界对着它的爱人
把它浩瀚的面具揭下了。
它变小了
小如一首歌
小如永恒的接吻。

（郑振铎　译）

温柔的拒绝

泰戈尔

广漠无垠的沙漠热烈地追求着一叶绿草的爱
但她摇摇头
笑起来
飞了开去。

（郑振铎　译）

永恒的沉默

泰戈尔

"海水呀 你说的是什么？"
“是永恒的疑问。”
“天空呀 你回答的话是什么？”
“是永恒的沉默。”

（郑振铎　译）

鸟儿和云朵

泰戈尔

鸟儿愿为一朵云
云儿愿为一只鸟。

（郑振铎　译）

我只是默默地等待你

泰戈尔

你微微笑着
不同我说什么话
而我觉得
为了这个
我已等待得久了。

（郑振铎　译）

爱就是伤害

泰戈尔

上帝对人说道：“我医治你
所以要伤害你
我爱你
所以要惩罚你。”

（郑振铎　译）

它们犹如橡木，又犹如玫瑰

夸西莫多

于幽暗的火光中，
我渴望见到你的纤纤玉手，
它们犹如橡木，又犹如玫瑰，
它们带着死亡的气息。
啊，古老的冬天。

鸟儿穿越雪花四处寻找粮食，
于是有人说，
一点阳光，一个天使的光圈，
一点雾，一点树，
还有我们，在清晨的空气里浮现。

布鲁塞尔的冬天

奥登

寒寂的街道如一团乱麻，
霜使喷泉沉默。
来来往往，却看不清这座城市的面目，
整座城市缥缈虚拟。
只有无家可归和真正卑贱的人知道——
他们确切身在何处。
他们的凄惨汇集了所有的命运，
冬天拥抱他们，犹如歌剧院的石柱。
富人的房屋在高地耸立，
灯光从数盏窗口溢出，仿佛是孤立的田庄。
一句话像是一辆卡车，装满了意义，
一个眼神就包含了人类的历史。
仅需五十法郎，陌生人就可以——
让这无情的城市送上温暖的胸膛。

我用什么才能留住你

博尔赫斯

我给你消瘦的街衢
绝望的夕阳
荒凉的月亮
我给你一个永远的孤月守望者的悲哀
我给你我已经亡去的先祖
后人们用大理石祭奠他们的亡魂
我的祖父，在布宜诺斯艾利斯的边境阵亡
胸膛被两颗子弹射穿
死的时候蓄着胡子
士兵们用牛皮将他的尸体裹起
我的外祖父，那时才廿四岁
在秘鲁领着三百人冲锋
而今都成为了在马背上消逝的亡魂

我将我书中所有的智慧给你
我给你我生活中所有的勇气和幽默

我给你一个从未有过信仰之人的信仰
我给你我拼命保全的自己的核心——
不玩弄文字，不和梦交易
不被时间，欢乐以及悲伤改变的核心
我给你比你出生还早一千年的一个傍晚看到的一朵黄玫瑰的记忆
我给你关于你生命的解释
关于你自己的理论
你不可置疑的存在
我要将我所有的寂寞给你
将我的黑暗给你
将我心里的饥渴给你
我将试着用困惑，危险，失败来讨取你的欢心。

春天，我已把悲伤爱过

谷川俊太郎

我已把活着爱过
先眠去吧，鸟群
我已把活着爱过
因为远处有东西在呼唤我
我已把悲伤爱过
眠去吧，孩子
我已把笑爱过
像是穿破的鞋子
我已把等待爱过
犹如过去的木偶
打开窗，响起一句话
让我听听，是谁在呐喊
是的
因为我已把恼怒爱过
眠去吧，群鸟
我已把活着爱过
早晨，我把洗脸也爱过

三
此刻谁孤独，就孤独到永远

我孤独而平静，等待着永恒的安息。只是叹息时间流逝了一半，另一半却留存。

往昔之生活

波德莱尔

华丽的庭廊，我曾居住于此，
阳光布满犹如火焰，
巨大的石柱无比庄严，
夜色教庭廊如玄武岩洞般幽深奇玄。

天上的形象被海浪推来，
神秘端严，
聆听如天籁，
斜阳流泻于我的双眼。

在那里，我可以漫游无边，
蓝天，海浪，无尽的色彩在我身边，
还有裸体的奴隶香气满满。

他们用棕榈叶使我额头清凉，
他们在我身体里索探，
那个使我痛苦的秘密之源。

生活于生活之上

波德莱尔

沼泽之上，峰谷顶端，
望不尽大海、森林、阴云和群山，
飞跃太阳与群星，
来到无极的太空之边。

轻飞吧，我的魂灵，
犹如善泳者陶醉水里，
怀着莫名心情与雄性喜悦，
畅游不已。

远离污秽，
将罪恶洗净，
光明之火，
犹如醇酒让人醉醒。

谁能承受迷雾般的生活？

谁能承受那烦恼和痛苦？
鼓起自信的翅膀吧，
向宁静光明飞去。

让思想自由吧，犹如放飞的麻雀，
在清晨的天空自由翱翔，
生活于生活之上，
便知晓百花和万物沉默的思想。

当我成为他时，我感到他也成了我

雨果

气息带着幽暗的影子来到我的住房，
夜色深沉，万籁俱静，
黑暗在入睡者身边飘荡。
当我成为他时，我感到他也成为了我，
墙犹如一张脸在探望灰暗的天空，
而两扇苍白的窗在窥视我的梦。

再没什么东西比生命之书更高贵

拉马丁

再没什么东西比生命之书更高贵，
不能随意翻阅，也不能随意合上，
精彩的段落只能阅读一次，
苦难之页自己翻过。
当你想重温过去的温柔时光，
读到的只是死亡前的一章。

我犹如拥有爱情般幸福

兰波

蔚蓝的夏夜，我将在幽静的小径漫步，
麦芒轻轻挠着脚心；
犹如是一个梦，脚底一片清冷。
晚风轻拂着我的头颈。

我无话可说，也无事可想；
我的心灵深处却源源不绝地涌出爱，
我渐渐远离，犹如一个吉普赛人
自然漫游，如拥有爱情般幸福。

永恒之女性，引领我们上升

歌德

一切消逝的，
只是象征。
一切不完满的，
都在这里完成。
一切不可说明的，
都在这里得以实行。
永恒之女性，
引领我们上升。

假如生活欺骗了你

普希金

假如生活欺骗了你
不需悲伤，不需着急！
忧郁的日子更需镇定，
请坚信，快乐的日子即将来临。
心永远面对未来，
尽管现在总是忧愁。
一切都是稍纵即逝，一切都将成为记忆，
而那消逝的时光，将会成为美好的怀念。

抒情插曲（1822－1823）

海涅

书中的叹息和痛苦

叹息和苦痛，
都被我灌入这本书中，
你要是将它打开，
就看见我的曲衷。

花朵从我的眼泪里迸出

花朵从我的眼泪里迸出，
我的叹息，也成了夜莺的歌声。
爱人，我将用所有的花朵来报答你的爱情，
你的窗前，也将是夜莺的歌声。

你已经忘却我曾久久地占有你的心

我曾久久地占有你的心，

你却已遗忘，
你的心，甜蜜却又虚伪狭隘，
而我再也找不到这样的心。

你遗忘了爱情和烦恼，
它们曾经一起折磨我的心，
我不知道，二者谁更深刻，
我只知道，二者都很磨人。

彼此的梦

一颗古松孤单地在北国的山上 ，
冰雪盖住了它，
它进入了睡乡。

它梦见了一棵棕榈，
在遥远的东方，
孤单地生长在炎热的岩壁上。

浮生长满了野蔷薇

荷尔德林

湖岸悬挂着黄梨，
也长满了野蔷薇，
静静地倒映在湖里。
可爱的天鹅，
吻使得你们沉醉，
你们把头浸入水里。

悲伤的是，冬天来时，
无处可去寻花，
也无处去寻找日光，
以及一片浓荫。
冷酷无情的围墙，
只有风信旗在风中瑟瑟作响。

但愿我的心也像这么枯萎

哈代

当我从镜子里看到我的憔悴，
我说：但愿我的心也像这么枯萎。
那时，人心对我露出寒冷的一面，
我也不再忧郁。
我孤独而平静，
等待着永恒的安息。
只是叹息时间流逝了一半，
另一半却留存。
黄昏的躯体被时间摇动着，
里面是一颗正午的心。

往昔的时光

彭斯

故友岂能遗忘？
岂能不放于心上，
故友岂能遗忘，
还有往昔时光？

为了往昔时光，
朋友，
且尽杯中的酒，
为了往昔时光。

你若要痛饮，
我何辞一醉，
为友情饮尽杯中的酒，

为往昔时光。

我们曾在山岗漫游，
我们曾四处寻芳，
此后就走上疲惫的旅程，
逝去了往昔时光。

我们曾赤脚蹚过河流，
在笑语中将时间遗忘，
如今大海将我们隔离，
逝去了往昔时光。

永恒的朋友，
让我们的手紧紧相握，
且尽杯中的酒，
为了往昔的时光。

那个时刻流逝了，仿佛是一出戏

叶芝

那个时刻流逝了，仿佛是一出戏，
爱情曾给予我智慧，
我也曾有一份天资，
但都流失了，尽管我可以说，
我将所有赞美都给了她，
但从北方来的云，
将爱情的月遮住了。

彼时，我坚信她所有的话语，
我赞美她的身体以及心灵。
自豪让她的眼睛更加闪耀，
欢愉让她的脸颊涂满红晕，
虚荣也让她脚步变得轻盈。
但除了赞美，我们仍旧一无所获，
除了头顶的乌云。

我们安静地坐着，犹如一块石头，
尽管她始终默然，但我们知道，
爱情不管再完美都会枯萎。
如果爱神不能从一只最荒谬的小鸟的哀啼里
救出那个被云层包裹的月亮，
那么爱情终将被野蛮摧毁。

我好似一朵流云独自漫游

华兹华斯

我好似一朵孤独的流云，
在山谷之上飘游，
偶然邂逅一片鲜花，
那是金色的水仙，
在湖畔，在树下，
它们盛开，它们在风中舞蹈。
它们犹如银河的星辰一般密集，
它们犹如群星一样闪烁。
它们沿着海湾的轨迹流浪，
它们通向无穷无尽的远方。
放眼望去都是它们的所在，
它们欣喜，它们一起舞蹈。
粼粼湖波也随之跳跃，
却不知它们何其的轻灵。
遇见的诗人，
也禁不住欢悦，

但我久久凝视却依然不解——
这景象给我精神带来的财富。
后来每当我郁郁寡欢，
心灵空漠时，
这景象就在我脑海里重现，
安慰我的寂寞，
我又重新变得欢悦。

她在生与死中都默然

华兹华斯

她在白鸽泉水旁边居住，
孤独的路通往四面八方，
无人把这位姑娘称赞，
也无人将她爱怜。

苔藓石旁长着一朵紫罗兰，
羞怯地不让人看见，
美如天上繁星，
其中唯一的一颗更是清辉耀眼。

她在生与死中都默然，
谁知道她几时去了人间。
她在墓中安眠，
使我顿觉沧海桑田。

人世间最美好的事情是，两颗偎依的心就在我的怀中

济慈

如果必须要与孤独共处，
只愿有一个优雅的处所。
请与我登上险峰——大自然的瞭望台，
站在上面可以远眺山谷。

花草占据了河谷，河水明亮，
犹如近在咫尺，我愿为你守望，
有小鹿越过枝叶茂密的树丛，
惊起了野蜂，然后匆匆掠过花丛。

即使我愿意与你在美景中穿梭，
但是我更愿意与你纯洁的心灵交流，
那里有更为美妙的风景。

我感到愉悦，我坚信，
人世间最美好的事情是，
两颗偎依的心就在我的怀中。

秋日

里尔克

主啊，时候已经来临，夏日已过于漫漫，
让你的阴影掠过时间，
让秋风浪荡在草原。

催促最后的果实饱满，
再给两天南方气候的温暖。
命令它们成熟。
在醇酒里压入最后的甘甜。

此刻谁没有房子，就不要建造，
此刻谁孤独，就孤独到永远。
就醒来，就阅读，就写长长的信，
就在林荫道上徘徊，
落叶蹁跹。

沉重的时刻

里尔克

此刻有谁在世上的某处哭，
无缘无故地在世上哭，
哭我。

此刻有谁在夜里的某处笑，
无缘无故地在夜里笑，
笑我。

此刻有谁在世上的某处走，
无缘无故地在世上走，
走向我。

此刻有谁在世上的某处死
无缘无故地在世上死，
望着我。

（冯至　译）

死亡赋格曲

保罗·策兰

黎明的黑牛奶我们在晚上喝
我们在早上喝，在中午喝，我们在晚上喝
我们喝啊喝啊
我们在空气里挖一个坟墓，让你躺着也很舒服
一个男人在他自己的屋子里摆弄他的毒蛇，他写到
他写到当德意志的天色晦暗下来，玛格丽特你金黄色的头发
他写到这些就出去，门外群星闪烁
他吹着口哨让他的猎狗走近
他吹着口哨让犹太佬排好队，让他们在泥地里挖一个坟墓
他命令我们为舞会表演助兴

黎明的黑牛奶我们在晚上喝
我们在早上喝，在中午喝，我们在晚上喝
我们喝啊喝啊
一个男人在他自己的屋子里摆弄他的毒蛇，他写到
他写到当德意志的天色晦暗下来，玛格丽特你金黄色的头发

苏拉密斯你灰白色的头发，我们在空气里挖一个坟墓，让你躺着也很舒服

他大声喊这边的你们挖着土，那边的你们大声歌唱和演奏

他将皮带挥舞着，犹如挥舞鞭子，他的眼睛是蓝色的

这边的你们的铲子要挖深一点，那边的你们要继续为舞会演奏助兴

黎明的黑牛奶我们在晚上喝

我们在早晨喝，在中午喝，我们在晚上喝

我们喝啊喝啊

一个男人在他自己的屋子里，玛格丽特你金黄色的头发

苏拉密斯你灰白色的头发，男人摆弄着他的毒蛇

他大声让演奏更加热烈，让死亡更加甜美，死神是一个来自德意志的主人

他大声刮响，你的琴弦更黑，你会飞起来，然后随着烟雾飘到天空

你会在云朵里得到一个坟墓躺着也很舒服

黎明的黑牛奶我们在晚上喝

我们在中午喝，死神是一个“来自”德意志的主人

黑牛奶我们在早上喝，在中午喝，我们在晚上喝

我们喝啊喝啊

死神是“一个来自德意志的主人”，他的眼睛蓝幽幽

他用由铅制成的子弹射你，他瞄准你又把你命中

一个男人住在屋子里，“金黄色头发的玛格丽特”

他放出的猎狗咬我们，只允许我们住在空气里的坟墓中
他摆弄着他的毒蛇和他的白日梦
“死神是一个来自德意志的主人”
“金黄色头发的玛格丽特”
“灰白色头发的苏拉密斯”

一个人播种什么就将收获什么

林特斯堡

我看见了太阳，
犹如触及一种奇异的力量。
一个人播种什么就将收获什么，
善良的人终将被善良报偿。
放下自己的恨，
饶恕别人，
行走在太阳底下的人心里也不会有阴影，
品德高尚的人都有一颗纯真的心。

卡尔索的圣马丁诺镇

翁加雷蒂

那么多房屋
却仅仅剩下了些残垣断壁。

那么多患难的朋友，
活着回来的却寥寥无几。

我的心中，
竖立起了一个个十字架。

我的心，
终于成了最悲伤的坟墓。

命运，你如果还想要

扬·聂鲁达

为了同胞的自由，
命运，如果你还想要——
苍白以及牺牲，
那就把我丢进监牢吧。
至高无上的命运，
如果你还想要，
就在我心里将你沾满血腥的手洗净吧。
我只能选择亲爱的母亲饿死，
只能选择坟墓中的父亲受人嘲笑，
也要我的同胞能够自由，啊，自由！
命运啊，你可以从我的所有中，
夺去我至高无上的爱情，
我也要我的同胞享有自由！

哦．船长，我的船长！

惠特曼

哦，船长，我的船长，我们危险的旅程已经结束，
我们的船驶过了惊涛骇浪，我们已经拿到奖赏。
港口近在眼前，钟声传进耳朵，无数人在为我们呐喊欢呼。
人们迎接着我们缓缓返航，我们的船勇敢庄严。
但是，心，心，心啊！
哦，鲜红的血在流淌，
我的船长躺在了甲板上，
他已经倒下，已经死去，身体已经冰冷。
哦，船长，我的船长，你快起来吧，请听听这钟声。
起来——旌旗在为你飞舞，号角在为你吹响。
无数人挤满了岸，为你，所有的鲜花，彩带，为你。
无数人在呼喊，为你，无数张脸在盼望，为你。
船长，我的父亲，你的头枕在我的手臂，
我多希望这只是甲板上的一场梦。
但你已经倒下，已经死去，身体已经冰冷。
我的船长再也不会回答，他的双唇没有一点血色，

我的父亲已经感受不到我的手臂，他已经没有脉搏，没有生命。

我们的船已安全抵达，旅程已经结束，

胜利的船已经驶过惊涛骇浪，我们已拿到奖赏，

海岸在欢呼，钟声在轰鸣，

可是，我却挪动着悲伤的脚步，

在这里，在甲板上，躺着我的船长，

他已经倒下，已经死去，身体已经冰冷。

这才是我的祖国，而不是大马士革

阿多尼斯

为那在忧愁面具下枯萎的脸，
我俯身。
为那我忘记洒落泪水的道路，
为那犹如绿云一样死去，
脸上还高悬着船帆的父亲
我俯身。
为那被出卖的，在祈祷，在擦皮鞋的孩子
（我的祖国，所有人都祈祷，都擦皮鞋）
为那块我忍着饥饿刻在岩石上的——
它们是在我眼皮下滚动的闪电和雨，
为那我在颠沛流离时带走泥土的家园，
我俯身。
所有的这一切，都是我的祖国，而不是大马士革。

我的黎明骊歌

金斯堡

我已在曼哈顿将五年时光浪费
生命凋零
才华枯竭
断续的谈话
絮叨而神经质
滑尺和计算器放在桌上
三份签了字的说明书和税单
恰当地显示我的薪金微薄
我二十几岁的青春
被拿来出售
在办公室昏厥
在打字机上痛哭
受到欺骗的人们
在酝酿更大的叛乱
扫除污秽的战舰
是一个严重的事件

每个星期六
每个人都可以来饮我的血
这是我自己的
所以不是犯罪
辛勤地工作了五年
从二十二岁到二十七岁
我一无所有
唯一值得看的
只有那太阳
从东方来的光芒照进我的卧室
我注定要下地狱
闹钟无法将我叫醒

四

我是天空里的一片云，偶尔投影在你的波心

天上飘着些微云，地上吹着些微风。啊！微风吹动了我头发，教我如何不想她？

教我如何不想她

刘半农

天上飘着些微云，
地上吹着些微风。
啊！
微风吹动了我头发，
教我如何不想她？

月光恋爱着海洋，
海洋恋爱着月光。
啊！
这般蜜也似的银夜，
教我如何不想她？

水面落花慢慢流，
水底鱼儿慢慢游。
啊！
燕子你说些什么话？

教我如何不想她？

枯树在冷风里摇。
野火在暮色中烧。
啊！
西天还有些儿残霞，
教我如何不想她？

我知道这邮花背后，藏着她秘密的一吻

刘大白

我不是不能用指头儿撕，
我不是不能用剪刀儿剖，
衹是缓缓地
轻轻地
很仔细地挑开了紫色的信唇；
我知道这信唇里面，
藏着她秘密的一吻。

从她底很郑重的折叠里，
我把那粉红色的信笺，
很郑重地展开了。
我把她很郑重地写的
一字字一行行，
一行行一字字地
很郑重地读了。

我不是爱那一角模糊的邮印，
我不是爱那幅精致的花纹，
祇是缓缓地
轻轻地
很仔细地揭起那绿色的邮花；
我知道这邮花背后，
藏着她秘密的一吻。

（1923年）

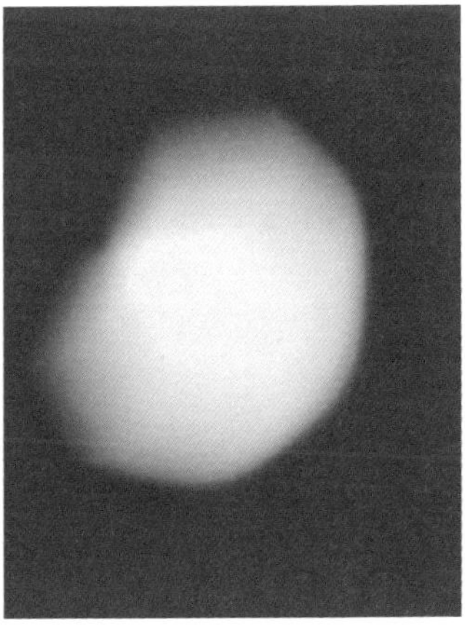

你颤动了我的心弦

刘大白

从低吟里，
短歌离了她底两唇，
飞行到我底耳际。
但耳际不曾休止，
毕竟颤动了我底心弦。

从瞥见里，
微笑辞了她底双唇，
飞行到我底眼底。
但眼底不曾停留，
毕竟闪动了我底心镜。

心弦上短歌之声底写真，
常常从掩耳时复奏了；
心境上微笑之影底写真，
常常从合眼时重现了。

（1922年）

偶然

徐志摩

我是天空里的一片云，
偶尔投影在你的波心——
你不必讶异，
更无须欢喜——
在转瞬间消灭了踪影。
你我相逢在黑夜的海上，
你有你的，我有我的，方向；
你记得也好，
最好你忘掉，
在这交会时互放的光亮。

大空中永远有不昧的明星

徐志摩

我有一个恋爱：
我爱天上的明星；
我爱它们的晶莹：
人间没有这异样的神明。
在冷峭的暮冬的黄昏，
在寂寞的灰色的清晨。
在海上，在风雨后的山顶
永远有一颗，万颗的明星！
山涧边小草花的知心。
高楼上小孩童的欢欣，
旅行人的灯亮与南针：
万万里外闪烁的精灵！
我有一个破碎的魂灵，
像一堆破碎的水晶，
散布在荒野的枯草里——
饱啜你一瞬瞬的殷勤。

人生的冰激与柔情，
我也曾尝味，我也曾容忍；
有时阶砌下蟋蟀的秋吟，
引起我的心伤，逼迫我泪零。
我袒露我的坦白的胸襟，
献爱与一天的明星；
任凭人生是幻是真，
地球存在或是消泯——
大空中永远有不昧的明星！

我要你，要得我心里生痛

徐志摩

我等候你。
我望着户外的昏黄，
如同望着将来，
我的心震盲了我的听。
你怎么还不来？希望
在每一分钟上允许开花。
我守候着你的步履，
你的笑语，你的脸，
你的柔软的发丝，
守候着你的一切，
希望在每一分钟上
枯死。——你在哪里？
我要你，要得我心里生痛，
我要你火焰似的笑，
要你灵活的腰身，
要你发上眼角的飞星，

我陷落在迷醉的氛围中，
像一座岛，
在莽绿的海涛间，不自主的在浮沉……
喔，我迫切地想望
你的来临，想望
那一朵神奇的优昙，
开上时间的顶尖
你为什么不来，忍心的？
你明知道，我知道你知道
你这不来于我是致命的一击，
打死我生命中乍放的阳春，
教坚实如矿里的铁的黑暗
压迫我的思想与呼吸，
把我，囚犯似的，交付给
妒与愁苦，生的羞惭
与绝望的惨酷。
这也许是痴。竟许是痴。
我信我却然是痴，但我不能转拨一
支已然定向的舵，
万方的风息，都不容许我忧郁
我不能回头，
命运驱策着我！
我也知道这多半是走向
毁灭的路；但
为了你，为了你

我什么都甘愿；
这不仅是我的热情，
我的仅有的理性亦如此说。
痴！想磔碎一个生命的纤微
为了感动一个女人的心！
想博得的，能博得的，至多是
她的一滴泪
她的一阵心酸，
竟许一半声漠然的冷笑；
但我也甘愿，即使
我粉身的消息传到
她的心里如同传到
一块顽石，她把我看作
一只地穴里的鼠，一条虫
我还是甘愿！
痴到了真，是无条件的，
上帝他也无法调回一个
痴定了心如同一个将军
有时调回已上死线的士兵。

枉然，一切都是枉然，
你的不来是不容否认的存在，
否则我心中烧着拨旺的火，
饥渴者你的一切，
你的发，你的笑，你的手脚，
如何的痴恋与祈祷
不能缩短一小寸
你我间的距离！
户外的黄昏已然
凝聚成夜的乌黑，
树枝上挂着冰雪，
乌雀们典去了它们的啁啾
沉默是这一致穿孝的宇宙。
钟上的针不断地比着
玄妙的手势，像是指点，
像是同情，像是嘲讽，
每一次到点的打动，我听来是
我自己的心的
活埋的丧钟。

你是人间的四月天

林徽因

我说你是人间的四月天；
笑响点亮了四面风；轻灵
在春的光艳中交舞着变。
你是四月早天里的云烟，
黄昏吹着风的软，星子在
无意中闪，细雨点洒在花前。
那轻，那娉婷，你是，鲜妍
百花的冠冕你戴着，你是
天真，庄严，你是夜夜的月圆。
雪化后那片鹅黄，你像；新鲜
初放芽的绿，你是；柔嫩喜悦
水光浮动着你梦期待中白莲。
你是一树一树的花开，是燕
在梁间呢喃——你是爱，是暖，
是希望，你是人间的四月天！

你也要忘掉了我，曾经在这世界里活过

林徽因

我情愿化成一片落叶，
让风吹雨打到处飘零；
或流云一朵，在澄蓝天，
和大地再没有些牵连。

但抱紧那伤心的标识，
去触遇没着落的怅惘；
在黄昏，夜半，蹑着脚走，
全是空虚，再莫有温柔；

忘掉曾有这世界；有你；
哀悼谁又曾有过爱恋；
落花似的落尽，忘了去
这些个泪点里的情绪。

到那天一切都不存留，
比一闪光，一息风更少
痕迹，你也要忘掉了我
曾经在这世界里活过。

你要是爱谁，便没命的去爱他

鲁迅

一个小娃子，展开翅子在空中，
一手搭箭，一手张弓，
不知怎么一下，一箭射着前胸。
“小娃子先生，谢你胡乱栽培！
但得告诉我：我应该爱谁？”
娃子着慌，摇头说，“唉！
你是还有心胸的人，竟也说这宗话。
你应该爱谁，我怎么知道。
总之我的箭是放过了！
你要是爱谁，便没命的去爱他；
你要是谁也不爱，也可以没命的去自己死掉。”

雨巷

戴望舒

撑着油纸伞，独自
彷徨在悠长，悠长
又寂寥的雨巷，
我希望逢着
一个丁香一样的
结着愁怨的姑娘。

她是有
丁香一样的颜色，
丁香一样的芬芳，
丁香一样的忧愁，
在雨中哀怨，
哀怨又彷徨。

她彷徨在寂寥的雨巷，
撑着油纸伞

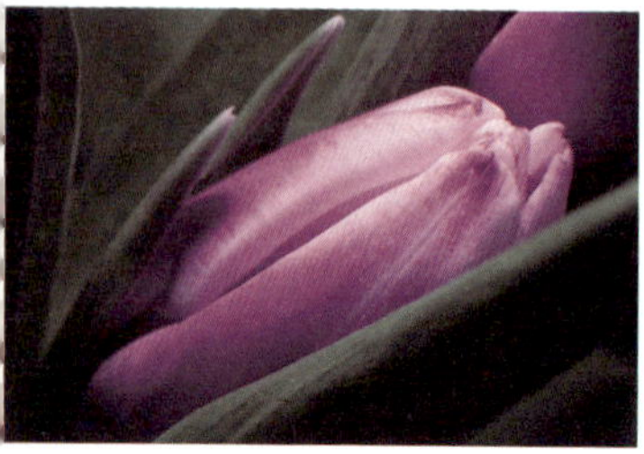

像我一样，
像我一样地，
默默彳亍着，
冷漠，凄清，又惆怅。

她静默地走近
走近，又投出
太息一般的眼光，
她飘过
像梦一般的
像梦一般的凄婉迷茫。

像梦中飘过
一支丁香地，
我身旁飘过这女郎；
她静静地远了，远了，
到了颓圮的篱墙，
走尽这雨巷。

在雨的哀曲里，
消了她的颜色，
散了她的芬芳，
消散了，甚至她的
太息般的眼光，
丁香般的惆怅。

撑着油纸伞，独自
彷徨在悠长，悠长
又寂寥的雨巷，
我希望飘过
一个丁香一样的
结着愁怨的姑娘。

说是寂寞的秋的清愁

戴望舒

说是寂寞的秋的清愁，
说是辽远的海的相思。
假如有人问我的烦忧，
我不敢说出你的名字。

我不敢说出你的名字，
假如有人问我的烦忧：
说是辽远的海的相思，
说是寂寞的秋的清愁。

我将凝视她明媚的双眼

朱自清

那泱泱的黑暗中熠耀着的
一颗黄黄的灯光呵，
我将由你的熠耀里，
凝视她明媚的双眼。

那人儿正架竹子，晒她的青布衣裳

刘延陵

月在天上，
船在海上，
他两只手捧住面孔，
躲在摆舵的黑暗地方。

他怕见月儿眨眼，
海儿掀浪，
引他看水天接处的故乡。
但他却想到了
石榴花开得鲜明的井旁，
那人儿正架竹子，
晒她的青布衣裳。

假使你不爱我，我的心更向何处去求归宿？

徐雉

鸟儿栖息在树枝上；树儿倒了，它便去巢人家的栋梁。

但是，亲爱的姑娘，请告诉我：假使栋梁也折了，又叫它飞到何方？

鱼儿游泳在小河里，河水枯了，它便飘到汪洋的海里。

但是，亲爱的姑娘，请告诉我：假使海水也干了，又叫它向那里找安身之地？

我年轻的时候，我的心紧紧地系在母亲身上。母亲死了，我闲空的心便到处流浪，后来碰着了一个美丽的姑娘，就把她缠住了。但是，亲爱的姑娘，请告诉我：假使你不爱我，我的心更向何处去求归宿？

（1922年10月9日）

不知那时的余音，又落在谁的心里？

王统照

多年的秋灯之前，
一夕的温软之语，
如今随着飞尘散去，
不知那时的余音，
又落在谁的心里？

手指儿近了信箱时，再仔细看看信面字

应修人

异样闪眼的繁的灯。
异样醉心的轻的风。
我带着那封信，
那封紧紧地封了的信。
异样闪眼的繁的灯。
异样醉心的轻的风。
手指儿近了信箱时，
再仔细看看信面字。

妹妹你是水，你是清溪里的水

应修人

妹妹你是水——
你是清溪里的水。
无愁地镇日流，
率真地长是笑，
自然地引我忘了归路了。
妹妹你是水——
你是温泉里的水。
我底心儿他尽是爱游泳，
我想捞回来，
烫得我手心痛。
妹妹你是水——
你是荷塘里的水。
借荷叶做船儿，
借荷梗做篙儿，
妹妹我要到荷花深处来！

誓与你永远的向前驰驱，
直达这平行的爱轨尽处

刘梦苇

我们是铁路上面的行人，
爱情正如两条铁平行。
许多的枕木将它们牵连，
却又好像在将它们离间。

我们的前方象很有希望，
平行的爱轨可继续添长；
远远的看见前面已经交抱，
我们便努力向那儿奔跑。

我们奔跑到交抱的地方，
那铁轨还不是同前一样？
遥望前面又是相合未分，
便又勇猛的向那儿前进。

爱人只要前面还有希望，
只要爱情和希望样延长：
誓与你永远的向前驰驱，
直达这平行的爱轨尽处。

再听不到呼唤的声音

饶孟侃

有一次我在白杨林中，
听到亲切的一呼唤；
那时月光正望着翁仲，
翁仲正望着我看。
再听不到呼唤的声音，
我吃了一惊，四面寻找；——
翁仲只是对月光出神，
月光只对我冷笑。

如今我一万声说我爱你，却难再挨近你的身

陈梦家

那一晚天上有云彩没有星，
你挽了我的手牵动我的心。
天晓得我不敢说我爱你，
为了我是那样年青。

那一晚你同我在黑巷里走，
肩靠肩，你的手牵住我的手。
天晓得我不敢说我爱你，
把这句话压在心头。

那一晚天那样暗人那样静，
只有我和你身偎身那样近。
天晓得我不敢说我爱你，
平不了这乱跳的心。

那一晚是一生难忘的错恨，

上帝偷取了年青人的灵魂。
如今我一万声说我爱你，
却难再挨近你的身。

我把我的心一行行写成字

冯文炳

天上乌云密布，
我在地旁，
鱼在池中，
没有谁知道。
我把我的心一行行写成字，
再把字一个个化成灰，
其时漏钟三响，
细雨吱吱不住。

如今我们永别了，我也战栗着

殷夫

之四

希望如一颗细小的星儿，
在灰色的远处闪烁着，
如鬼火般的飘忽又轻浮，
引逗人类走向坟墓。

之八

我初见你时，我战栗着，
我初接你吻时，我战栗着，
如今我们永别了，我也战栗着。

我们初次见面

殷夫

我们初次见面，
在那个窗的底下，
毵毵的绿柳碎扰金阳，
我们互看着地面羞羞的握手。

我记得，我偷看看你的眼睛，
阴暗的瞳子传着你的精神。
你是一个英勇的灵魂，
奋斗的情绪刻在你的眉心。

我记得，我望望你的面颊，
瘠瘦的两颊带着憔悴的苍白，
但你的颧下还染着微红，
你是，一个年青、奋发。

我记得，我瞧见你的头发，

浓黑的光彩表征了你丰富的情热，
我这般默默地观察，
我自此在心中印下你的价格。

（1928年5月）

我寻你，如寻巴黎和伦敦，在一回转动中，就能寻着你

覃子豪

即使地球和月亮
有着不可衡量的距离
而地球能够亲睹月亮的光辉
他们有无数定期的约会

两岸的山峰，终日凝望
他们虽曾面对长河叹息
而有时也在空间露出会心的微笑
他们似满足于永恒的遥远相对
我的梦想最绮丽
而我的现实最寂寞
是你，把它划开一个距离
失却了永恒的联系

假如，我有五千魔指
我将世界缩成一个地球仪
我寻你，如寻巴黎和伦敦
在一回转动中，就能寻着你

不是爱，也不是留恋

方玮德

我有一个心念，
当我走过你的身前；
像是一道山泉，
不是爱，也不是留恋。

我有一个思量，
在我走回家的路上；
像是一抹斜阳，
不是愁，也不是怅惘。

我要你的心

方玮德

那一天我和她走海上过，
她给我一贯钥匙和一把锁，她说："开你心上的门，
让我放进去一颗心！
请你收存，
请你收存。"
今天她叫我再开那扇门，
我的钥匙早丢在海滨。
成天我来海上找寻，
我听到云里的声音——
"要我的心，
要我的心！"

五
我和一株顶高的树
并排立着，却没有靠着

花影瘦在架下，人影瘦在墙里，
是三月的末日了，独有个黄莺在
枝上鸣著。

也是微云

胡适

也是微云，
也是微云过后月光明。
只不见去年的游伴，
也没有当日的心情。

不愿勾起相思，
不敢出门看月。
偏偏月进窗来，
害我相思一夜。

（1925年）

他们俩儿越飞越近，渐渐地并作了一个

胡适

水上一个萤火，
水里一个萤火，
平排着，
轻轻地，
打我们的船边飞过。
他们俩儿越飞越近，
渐渐地并作了一个。

但留得一刻，还要发一刻的声响

刘半农

秋风把树叶吹落在地上，
它只能悉悉索索，
发几阵悲凉的声响。

它不久就要化作泥；
但它留得一刻，
还要发一刻的声响，
虽然这已是无可奈何的声响了，
虽然这已是它最后的声响了。

（1919年）

看那晶晶的露珠，何等的轻！何等的亮！

刘半农

记得八、九岁时，曾在稻棚中住过一夜。

这情景是不能再得的了，所以把它追记下来。

凉爽的席，
松软的苴，
铺成张小小的床；
棚角里碎碎屑屑的，
透进些银白的月亮光。

一片唧唧的秋虫声，
一片甜蜜蜜的新稻香——
这美妙的浪，
把我的幼年的梦托着翻着……
直翻到天上的天上！……

回来停在草叶上，
看那晶晶的露珠，
何等的轻！
何等的亮！……

头白的芦苇，也妆成一瞬的红颜了

刘大白

归巢的鸟儿，
尽管是倦了，
还驮着斜阳回去。

双翅一翻，
把斜阳掉在江上；
头白的芦苇，
也妆成一瞬的红颜了。

再别康桥

徐志摩

轻轻的我走了，
正如我轻轻的来；
我轻轻地招手，
作别西天的云彩。

那河畔的金柳
是夕阳中的新娘；
波光里的艳影，
在我的心头荡漾。

软泥上的青荇，
油油的在水底招摇；
在康河的柔波里，
我甘心做一条水草！

那树荫下的一潭，

不是清泉，是天上虹；
揉碎在浮藻间，
沉淀着彩虹似的梦。

寻梦？撑一支长篙，
向青草更青处漫溯，
满载一船星辉，
在星辉斑斓里放歌。

但我不能放歌，
悄悄是别离的笙箫；
夏虫也为我沉默，
沉默是今晚的康桥！

悄悄的我走了，
正如我悄悄的来；
我挥一挥衣袖，
不带走一片云彩。

但它蕴着一种无声的期待

朱湘

我心爱的雨景也多着呀；
春夜春梦时窗前的淅沥；
急雨点打上蕉叶的声音；
雾一般拂着人脸的雨丝；
从电光中泼下来的雷雨——
但将雨时的天我最爱了。
它虽然是灰色的却透明；
它蕴着一种无声的期待。
并且从云气中，不知哪里，
飘来了一声清脆的鸟啼。

采莲曲

朱湘

小船啊轻飘，
杨柳呀风里颠摇；
荷叶呀翠盖，
荷花呀人样娇娆。
日落，
微波，
金线闪动过小河，
左行，
右撑，
莲舟上扬起歌声。
菡萏呀半开，
蜂蝶呀不许轻来；
绿水呀相伴，
清净呀不染尘埃。
溪间，
采莲，

水珠滑走过荷钱。
拍紧，
拍轻，
桨声应答着歌声。
藕心呀丝长，
羞涩呀水底深藏；
不见呀蚕茧，
丝多呀蛹裹中央？
溪头，
采藕，
女郎要采又夷犹。
波沉，
波升，
波上抑扬着歌声。
莲蓬呀子多，
两岸呀榴树婆娑；
喜鹊呀喧噪，
榴花呀落上新罗。
溪中，
采莲，
耳鬓边晕着微红。
风定，
风生，
风飔[sī]荡漾着歌声。
升了呀月钩，

明了呀织女牵牛；
薄雾呀拂水，
凉风呀飘去莲舟。
花芳，
衣香，
消溶入一片苍茫；
时静，
时闻，
虚空里袅着歌音。

在那里我可以生活又死灭

戴望舒

怀乡病，怀乡病，
这或许是一切
有一张有些忧郁的脸，
一颗悲哀的心，
而且老是缄默着，
还抽着一枝烟斗的
人们的生涯吧。

怀乡病，哦，我啊，
我也许是这类人之一吧，
我呢，我渴望着回返
到那个天，到那个如此青的天，
在那里我可以生活又死灭，
像在母亲的怀里，
一个孩子欢笑又啼泣。

我啊，我是一个怀乡病者
对于天的，对于那如此青的天的；
那里，我是可以安憩地睡眠，
没有半边头风，没有不眠之夜，
没有心的一切的烦恼，
这心，它，已不是属于我的，
而有人已把它抛弃了，
像人们抛弃了敝屣一样。

死水

闻一多

这是一沟绝望的死水，
清风吹不起半点漪沦。
不如多扔些破铜烂铁，
爽性泼你的剩菜残羹。

也许铜的要绿成翡翠，
铁罐上绣出几瓣桃花；
在让油腻织一层罗绮，
霉菌给他蒸出些云霞。

让死水酵成一沟绿酒，
漂满了珍珠似的白沫；
小珠们笑声变成大珠，
又被偷酒的花蚊咬破。

那么一沟绝望的死水，

也就夸得上几分鲜明。
如果青蛙耐不住寂寞，
又算死水叫出了歌声。

这是一沟绝望的死水，
这里断不是美的所在，
不如让给丑恶来开垦，
看他造出个什么世界。

火柴

闻一多

这些都是君王底
樱桃艳嘴的小歌童：
有的唱出一颗灿烂的明星，
唱不出的，都拆成两片枯骨。

故乡的她，独灵迹似的，
猛猛然涌上我的心头来了！

朱自清

白云漫了太阳；
青山环拥着正睡的时候，
牛乳般雾露遮遮掩掩，
像轻纱似的，
幂了新嫁娘的面。
默然在窗儿口，
上不见只鸟儿，
下不见个影儿，
只剩飘飘的清风，
只剩悠悠的远钟。
眼底是靡人间了，
耳根是靡人间了；
故乡的她，独灵迹似的，
猛猛然涌上我的心头来了！

一个宛转地话到清愁

俞平伯

晚风在湖上，
无端吹动灰絮的云团，
又送来一缕笛声，几声弦索。
一个宛转地话到清愁，
一个掩抑地诉来幽怨。
这一段的凄凉对话，
暮云听了，
便沉沉的去嵯峨着。
即有倚在阑干角的，
也只呆呆的倚啊！

小劫

俞平伯

云皎洁，我底衣，
云烂熳，我底裙裾，
终古去敖翔，
随着苍苍的大气；
为甚么要低头呢？
哀哀我们底无俦侣。
去低头！低头看——看下方；
看下方啊，吾心震荡；
看下方啊，
撕碎吾身荷芰底芳香。
罡风落我帽，
冷雹打散我衣裳，
似花花的蝴蝶，一片儿飘扬
歌哑了东君，惹恼了天狼，
天狼咬断了她们底翅膀！
独置此身于夜漫漫的，人间之上，
天荒地老，到了地老天荒！
赤条条的我，何苍茫？何苍茫？

月夜

沈尹默

霜风呼呼地吹着，
月光明明地照着。
我和一株顶高的树并排立着，
却没有靠着。

只有悠悠风来，吹动路旁杨树

沈尹默

中午时候，火一样的太阳，没法去遮拦，让他直晒着长街上。静悄悄少人行路；只有悠悠风来，吹动路旁杨树。

谁家破大门里，半兜子绿茸茸细草，都浮若闪闪的金光。旁边有一段低低土墙，挡住了个弹三弦的人，却不能隔断那三弦鼓荡的声浪。

门外坐着一个穿破衣裳的老年人，双手抱着头，他不声不响。

慈姑的盆

周作人

绿盆里种下几颗慈姑，
长出青青的小叶。
秋寒来了，叶都枯了，
只剩了一盆的水。
清冷的水里，荡漾着两三根
飘带似的暗绿的水草。
时常有可爱的黄雀，
在落日里飞来，
蘸水悄悄地洗澡。

两个扫雪的人

周作人

阴沉沉的天气，
香粉一般白雪，下的漫天遍地。
天安门外白茫茫的马路上，
只有两个人在那里扫雪。
一面尽扫，一面尽下：
扫净了东边，又下满了西边，
扫开了高地，又填平了洼地。
全没有车辆踪影
粗麻布的外套上，已结积了一层雪，
他们两人还只是扫个不歇。
雪愈下愈大了；
上下左右，都是滚滚的香粉一般白雪。
在这中间，仿佛白浪中浮着两个蚂蚁，
他们两人还只是扫个不歇。
祝福你扫雷的人!
我从清早起，在雪地里行走，不得不谢谢你!

我拧着闲愁掐一朵花

冯文炳

我拧着闲愁掐一朵花，
撚在我手上明眼的看，
也算是在我的黄昏天气里
点一点胭脂。

十二月十九夜

冯文炳

深夜一枝灯，
若高山流水，
有身外之海。
星之空是鸟林，
是花，是鱼，
是天上的梦，
海是夜的镜子。
思想是一个美人，
是家，
是日，
是月，
是灯，
是炉火，
炉火是墙上的树影，
是冬夜的声音。

草儿

康白情

草儿在前，
鞭儿在后。
那喘吁吁的耕牛，
正担着犁鸢，
眙着白眼，
带水拖泥，
在那里“一东二冬”地走着。

“呼——呼……”
“牛也，你不要叹气，
快犁快犁，
我把草儿给你。”

“呼——呼……”
“牛也，快犁快犁。
你还要叹气，

我把鞭儿抽你。”

牛呵！
人呵！
草儿在前，
鞭儿在后。

（1919年2月1日，北京）

和平的春里远燃着几野火

康白情

遍江北底野色都绿了。
柳也绿了。
麦子也绿了。
水也绿了。
鸭尾巴也绿了。
茅屋盖上也绿了。
穷人底饿眼儿也绿了。
和平的春里远燃着几野火。

（1920年4月4日，津浦铁路车上）

花影

王统照

花影瘦在架下，
人影瘦在墙里，
是三月的末日了，
独有个黄莺在枝上鸣著。

我何恨于秋风？

徐玉诺

我何恨于秋风呢？
年年都是这样，
它是自然之气；
可怜我落伍的小鸟，
零丁，
寂寞。
懒涩涩的这枝绿到那枝，
没心的飞出林去。
最伤心晚间归来，
似梦非梦的，
索性忘却了我是零丁，寂寞。
秋风啊！
你虽说是咯咯的响个不住——
藉红叶儿宣布你的萧杀和凄凉，
但是我有什么怀恨于你？

故乡

徐玉诺

小孩的故乡
藏在水连天的暮云里了。
云里的故乡呵，
温柔而且甜美！
小孩的故乡
在夜色罩着的树林里小鸟声里
唱起催眠歌来了。
小鸟声里的故乡呵，
仍然那样悠扬、慈悯！
小孩子醉眠在他的故乡里了。

秋风回到了江南

刘延陵

秋风回到了江南，
江南的黄叶就一阵落下来了。
落下来还飞起来，
又是一阵秋风
把他们打下来了。
打下来的黄叶
在地上吱吱地响：
“不要紧，
我们明年再来就是了。”

风是这样的轻轻，轻轻

王独清

Pes Amica Silentia Lunae

——Vergilius

月儿，你像向着海面展笑，
在海面上画出了银色的装饰一条。
这装饰画得真是奇巧，
简直是造下了，造下了一条长桥。
风是这样的轻轻，轻轻，
把海面吻起了颤抖的叹息。
月儿，你底长桥便像是有了弹性，
忽高忽低地只在闪个不停。

哦，月儿，我愿踏在你这条桥上，
就让海底叹息把我围在中央，
我好一步一步地踏着光明前往，
好走向，走向那辽远的，人不知道的地方……

叶颤，花舞，听市声沉醉，直到落下欢欣的眼泪！

于赓虞

别了，星霜漫天的黑夜，
我受了圣水难洗的苦孽，
你方从我的背上踏过，
欢迎啊，东曙，你又已复活！

在这最后的瞬间，我睁眼
双手抱住太阳的脚，看
叶颤，花舞，听市声沉醉，
直到落下欢欣的眼泪！

一朵野花在荒原里开了又落了

陈梦家

一朵野花在荒原里开了又落了，
不想这小生命，向着太阳发笑，
上帝给他的聪明他自己知道，
他的欢喜，他的诗，在风前轻摇。

一朵野花在荒原里开了又落了，
他看见青天，看不见自己的渺小，
听惯风的温柔，听惯风的怒号，
就连他自己的梦也容易忘掉。

我情愿是只雁子，一切都使忘记

陈梦家

我爱秋天的雁子，
　　终夜不知疲倦；
　　（像是嘱咐，像是答应，）
　　一边叫，一边飞远。

从来不问他的歌，
　　留在哪片云上，
　　只管唱过，只管飞扬——
　　黑的天，轻的翅膀。

我情愿是只雁子，
　　一切都使忘记——
当我提起，当我想到，
不是恨，不是欢喜。

六
醉过才知酒浓，爱过才知情重

不然，就烧我成灰，投入泛滥的春江，与落花一同漂去，无人知道的地方。

你不能做我的诗，正如我不能做你的梦

胡适

都是平常经验，
都是平常影像，
偶然涌到梦中来，
变幻出多少新奇花样！

都是平常情感，
都是平常言语，
偶然碰着个诗人，
变幻出多少新奇诗句！

醉过才知酒浓，
爱过才知情重；——
你不能做我的诗，
正如我不能做你的梦。

这是一个懦怯的世界

徐志摩

这是一个懦怯的世界：
容不得恋爱，容不得恋爱！
披散你的满头发，
赤露你的一双脚；
跟着我来，我的恋爱，
抛弃这个世界
殉我们的恋爱！
我拉着你的手，
爱，你跟着我走；
听凭荆棘把我们的脚心刺透，
听凭冰雹劈破我们的头，
你跟着我走，
我拉着你的手，
逃出了牢笼，恢复我们的自由！
跟着我来，
我的恋爱！

人间已经掉落在我们的后背，
看呀，这不是白茫茫的大海？
白茫茫的大海，
白茫茫的大海，
无边的自由，我与你与恋爱！
顺着我的指头看，
那天边一小星的蓝——
那是一座岛，岛上有青草，
鲜花，美丽的走兽与飞鸟；
快上这轻快的小艇，
去到那理想的天庭——
恋爱，欢欣，自由——
辞别了人间，永远！

沙扬娜拉一首
——赠日本女郎

徐志摩

最是那一低头的温柔，
像一朵水莲花不胜凉风的娇羞，
道一声珍重，道一声珍重，
那一声珍重里有蜜甜的忧愁——
沙扬娜拉！

葬我

朱湘

葬我在荷花池内，
耳边有水蚓拖声，
在绿荷叶的灯上
萤火虫时暗时明——

葬我在马缨花下，
永做芬芳的梦——
葬我在泰山之巅，
风声呜咽过孤松——

不然，就烧我成灰，
投入泛滥的春江，
与落花一同漂去
无人知道的地方。

昭君出塞

朱湘

琵琶呀，伴我的琵琶：
趁着如今人马不喧哗，
　　只听得啼声得得，
我想凭着切肤的指甲
　　弹出心里的嗟呀。

琵琶呀，伴我的琵琶：
这儿没有青草发新芽，
　　也没有花枝低桠；
在敕勒川前，燕支山下，
　　只有冰树结琼花。

琵琶呀，伴我的琵琶：
我不敢瞧落日照平沙，
　　雁飞过暮云之下，
不能为我传达一句话

到烟霭外的人家。

琵琶呀，伴我的琵琶：
记得当初被选入京华，
常对着南天悲咤，
那知道如今去朝远嫁，
望昭阳又是天涯。

琵琶呀，伴我的琵琶：
你瞧太阳落下了平沙，
夜风在荒野上发，
与一片马嘶声相应答，
远方响动了胡笳。

一片片白云天空上行，像是些小船飘过湖心

朱湘

春天的花香真正醉人，
一阵阵温风拂上人身，
你瞧日光它移的多慢，
你听蜜蜂在窗子外哼：
　　睡呀，宝宝，
　　蜜蜂飞的真轻。

天上瞧不见一颗星星，
地上瞧不见一盏红灯；
什么声音也都听不到，
只有蚯蚓在天井里吟：
　　睡呀，宝宝，
　　蚯蚓都停了声。

一片片白云天空上行，
像是些小船飘过湖心，

一刻儿起，一刻儿又沉，
摇着船舱里安卧的人：
　　睡呀，宝宝，
　　你去跟那些云。

不怕它北风树枝上鸣，
放下窗子来关起房门；
不怕它结冰十分寒冷，
炭火生在那白铜的盆：
　　睡呀，宝宝，
　　挨着炭火的温。

残灰

朱湘

炭火发出微红的光芒，
一个老人独坐在盆旁，
这堆将要熄灭的灰烬，
在他的胸里引起悲伤——
　　火灰一刻暗，
　　火灰一刻亮，
　　火灰暗亮着红光。
童年之内，是在这盆旁，
靠在妈妈的怀抱中央，
栗子在盆上哔吧的响，
一个，一个，她剥给儿尝——
　　妈那里去了？
　　热泪满眼眶，
　　盆中颤摇着红光。

到青年时，也是这盆旁，

一双人影并映上高墙，
火光的红晕与今一样，
照见他同心爱的女郎——
　　竟此分手了，
　　她在天那方，
　　如今也对着火光？

到中年时，也是这盆旁，
白天里面辛苦了一场，
眼巴巴地望到了晚上，
才能暖着火嗑口黄汤——
　　妻子不在了
　　儿女自家忙，
　　泪流瞧不见火光

如今老了，还是这盆旁，
一个人伴影住在空房，
他趁着残火没有全暗，
挑起炭火来想慰凄凉——
　　火终归熄了，
　　屋外一声梆，
　　这是起更的辰光。

萧红墓畔口占

戴望舒

走六小时寂寞的长途，
到你头边放一束红山茶，
我等待着，长夜漫漫，
你却卧听着海涛闲话。

（1944年11月）

我的记忆

戴望舒

我的记忆是忠实于我的
忠实甚于我最好的友人，
它生存在燃着的烟卷上，
它生存在绘着百合花的笔杆上，
它生存在破旧的粉盒上，
它生存在颓垣的木莓上，
它生存在喝了一半的酒瓶上，
在撕碎的往日的诗稿上，
在压干的花片上，
在凄暗的灯上，
在平静的水上，
在一切有灵魂没有灵魂的东西上，
它在到处生存着，
像我在这世界一样。
它是胆小的，
它怕着人们的喧嚣，

但在寂寥时，
它便对我来做密切的拜访。
它的声音是低微的，
但它的话却很长，很长，
很长，很琐碎，而且永远不肯休；
它的话是古旧的，
老讲着同样的故事，
它的音调是和谐的，
老唱着同样的曲子，
有时它还模仿着爱娇的少女的声音，
它的声音是没有气力的，
而且还挟着眼泪，夹着太息。
它的拜访是没有一定的，
在任何时间，在任何地点，
时常当我已上床，朦胧地想睡了；
或是选一个大清早，
人们会说它没有礼貌，
但是我们是老朋友。
它是琐琐地永远不肯休止的，
除非我凄凄地哭了，
或者沉沉地睡了，
但是我永远不讨厌它，
因为它是忠实于我的。

我用残损的手掌

戴望舒

我用残损的手掌
摸索这广大的土地：
这一角已变成灰烬，
那一角只是血和泥；
这一片湖该是我的家乡，
（春天，堤上繁花如锦障，
嫩柳枝折断有奇异的芬芳）
我触到荇藻和水的微凉；
这长白山的雪峰冷到彻骨，
这黄河的水夹泥沙在指间滑出；
江南的水田，你当年新生的禾草
是那么细，那么软……现在只有蓬蒿；
岭南的荔枝花寂寞地憔悴，尽那边，
我蘸着南海没有渔船的苦水……
无形的手掌掠过无限的江山，
手指沾了血和灰，手掌粘了阴暗，

只有那辽远的一角依然完整，
温暖，明朗，坚固而蓬勃生春。
在那上面，我用残损的手掌轻抚，
像恋人的柔发，婴孩手中乳。
我把全部的力量运在手掌 贴在上面，
寄与爱和一切希望，
因为只有那里是太阳，是春，
将驱逐阴暗，带来苏生，
因为只有那里我们不像牲口一样活，
蝼蚁一样死……那里，永恒的中国！

到如今我的船仍然在海面飘

林徽因

那一晚我的船推出了河心，
澄蓝的天上托着密密的星。
那一晚你的手牵着我的手，
迷惘的星夜封锁起重愁。
那一晚你和我分定了方向，
两人各认取个生活的模样。

到如今我的船仍然在海面飘，
细弱的桅杆常在风涛里摇。
到如今太阳只在我背后徘徊，
层层的阴影留守在我周围。
到如今我还记着那一晚的天，
星光、眼泪、白茫茫的江边！
到如今我还想念你岸上的耕种：
红花儿黄花儿朵朵的生动。

那一天我希望要走到了顶层，
蜜一般酿出那记忆的滋润。
那一天我要挎上带羽翼的箭，
望着你花园里射一个满弦。
那一天你要听到鸟般的歌唱，
那便是我静候着你的赞赏。
那一天你要看到零乱的花影，
那便是我私闯入当年的边境！

一句话

闻一多

有一句话说出就是祸，
有一句话能点得着火，
别看五千年没有说破，
你猜得透火山的缄默？
说不定是突然着了魔，
突然青天里一个霹雳
爆一声：
“咱们的中国！”

这话叫我今天怎样说？
你不信铁树开花也可，
那么有一句话你听着：
等火山忍不住了缄默；
不要发抖，伸舌头，顿脚，
等到青天里一个霹雳
爆一声：
“咱们的中国！”

你的言语如石头，怎能使我忘记呢？

朱自清

你的手像火把，
你的眼像波涛，
你的言语如石头，
怎能使我忘记呢？

你飞渡洞庭湖，
你飞渡扬子江；
你要建红色的天国在地上！

地上是荆棘呀，
地上是狐兔呀，
地上是行尸呀；
你将为一把快刀，
披荆斩棘的快刀！
你将为一声狮子吼，
狐兔们披靡奔走！

你将为春雷一震，
让行尸们惊醒！

我爱看你的骑马，
在尘土里驰骋——
一会儿，不见踪影！

我爱看你的手杖，
那铁的铁的手杖；
它有颜色，有斤两，
有铮铮的声响！

我想你是一阵飞沙
走石的狂风，
要吹倒那不能摇撼的黄金的王宫！
那黄金的王宫！
呜——吹呀！

去年一个夏天大早我见着你：
你何其憔悴呢？
你的眼还涩着，
你的发太长了！
但你的血的热加倍的薰灼着！

在灰泥里辗转的我，

仿佛被焙炙着一般！——
你如郁烈的雪茄烟，
你如酽酽的白兰地，
你如通红通红的辣椒，
我怎能忘记你呢？

山倦了，自有暮烟凝着

俞平伯

敲罢了三声晚钟，
把银的波底容，
黛的山底色，
都消融得黯淡了，
在这冷冷的清梵音中。

暗云层叠，
明霞剩有一缕；
但湖光已染上金色了。
一缕的霞，可爱哪！
更可爱的，只这一缕哪！

太阳倦了，
自有暮云遮着；
山倦了，
自有暮烟凝着；
人倦了呢？
我倦了呢？

瓶中的紫藤，落了一茶杯的花片

王统照

瓶中的紫藤，
落了一茶杯的花片。
有个人病了，
只有个蜂儿在窗前伴他。
虽是香散了，
花也落了，
但这才是小的伴侣啊！

小诗

徐玉诺

湿漉漉的伟大的榕树
罩着的曲曲折折的马路，
我一步一步地走下，
随随便便地听着清脆的鸟声，
嗅着不可名的异味……
这连一点思想也不费，
到一个地方也好，
什么地方都不能到也好，
这就是行路的本身了。

完全消失去我自己，也完全再生我自己

潘漠华

我想在我底心野，
再扌 离拢荒草与枯枝，（注扌 ，同巴）
寥廓苍茫的天宇下，
重新烧起几堆野火。
我想在将天明时我的生命，
再吹起我嘹亮的画角，
重招拢满天的星，
重画出满天的云彩。
我想停唱我底挽歌，
想在我底挽歌内，
完全消失去我自己，
也完全再生我自己。

我们离家上了旅路

潘漠华

我底衫袖破了
我母亲坐着替我补缀
伊针针引着纱线
却将伊底悲苦也缝了进去

我底头发太散乱了
姊姊说这样出外去不太好看
也要惹人家底讨厌
伊拿了头梳来替我梳理
后来却也将伊底悲苦梳了进去

我们离家上了旅路
走到夕阳傍山红的时候
哥哥说我走得太迟迟了
将要走不尽预定的行程
他伸手牵头我走

但他的悲苦
又从他微微颤跳的手掌心传给了我

现在就是碧草红云的现在啊
离家已有六百多里路
母亲底悲苦从衣缝里出来
姊姊底悲苦，从头发里出来
哥哥底悲苦，从手掌心里出来
他们结成一个缜密的悲苦的网
将我整个网着在那儿了

向哪一处走去，才是我底暂时的住家

王独清

我从Cafe中出来，
身上添了
中酒的
疲乏，
我不知道
向哪一处走去，才是我底
暂时的住家……
啊，冷静的街衢，
黄昏，细雨！

我从Cafe中出来，
在带着醉
无言地
独走，
我底心内
感着一种，要失了故园的
浪人底哀愁……
啊，冷静的街衢，
黄昏，细雨！

可是现在我惟望你把那光阴记下

王独清

现在我要走了（因为我是一个漂泊的人）！
唉，你收下罢，收下我留给你的这个真心！
我把我底心留给你底头发，
你底头发是我灵魂底住家；
我把我底心留给你底眼睛，
你底眼睛是我灵魂底坟茔……
我，我愿作此地底乞丐，忘去所有的忧愁，
在这出名的但丁墓旁，用一生和你相守！
可是现在除了请你把我底心收下，
便只剩得我向你要说的告别的话！
Addio，mia bella！

现在我要走了（因为我是一个漂泊的人）！
唉，你记下罢，记下我和你所经过的光阴！
那光阴是一朵迷人的香花，
被我用来献给了你这美颊；

那光阴是一杯醉人的甘醇，
被我用来供给了你这爱唇……
我真愿作此地底乞丐，弃去一切的忧愁，
在我倾慕的但丁墓旁，到死都和你相守！
可是现在我惟望你把那光阴记下，
此外应该说的只有平常告别的话！
Addio， mia Cara！

外国士兵之墓

穆天木

没有人给你来送一朵鲜花，
没有人向你来把泪洒，
你远征越过了万里重洋，
现在你只落了一堆黄沙。

你的将军现在也许在晚宴，
也许拥着美姬们在狂欢，
谁会忆起这异国里的荒墓？
只有北风在同你留恋。

故国里也许有你的母亲，
白发苍苍，在街头行乞，
可是在猩红的英雄梦里，
有谁想过这样的母亲和儿子。

现在，到了北风的夜里，

你是不是后悔曾经来杀人？
那边呢，是杂花绚烂的世界，
你这里，是没人扫问的枯坟。

（1936年10月4日，于虹桥公墓）

面对着沙里的远山，喝一杯暖酒

陈梦家

——高台多悲风
感谢两旁的白杨，
送我们到高台，
虽然没有风，
已经够苍凉。

感谢温和的太阳
送我们往西走，
面对着沙里的远山，
喝一杯暖酒。

（1948年）

我的心停滞，不再奔驰

殷夫

我的心是死了，不复动弹，
过往的青春美梦今后难再，
我的心停滞，不再奔驰，
红的枫叶报道秋光老衰，

我用死灰般的诗句送葬尸骸，
我的心口已奔涌不出光彩灿烂。
猫头鹰，听，在深夜孤泣，
我最后的泪珠雨样飞散……

（1928年11月，西寺）

我向星空说：我怀念你

覃子豪

我向海洋说：我怀念你
海洋应我
以柔和的潮声

我向森林说：我怀念你
森林回我
以悦耳的鸟鸣

我向星空说：我怀念你
星空应我
以静夜的幽声

我向山谷说：我怀念你
山谷回我
以溪水的淙鸣

我向你倾吐思念
你如石像
沉默不应

如果沉默是你的悲抑
你知道这悲抑
最伤我心

因为我要这样宣告，我们无罪，然后我们凋谢

阿垅

不要踏着露水——
因为有过人夜哭。……

哦，我底人啊，我记得极清楚，
在白鱼烛光里为你读过《雅歌》。

但是不要这样为我祷告，不要！
我无罪，我会赤裸着这身体去见上帝……

但是不要计算星和星间的空间吧，
不要用光年；用万有引力，用相照的光。

要开做一枝白色花——
因为我要这样宣告，我们无罪，然后我们凋谢。